HISTOIRES DRÔLES

Tome 51

Texte : Jeanne Olivier

Illustration de la couverture :
Philippe Germain

EH **Héritage jeunesse**

HISTOIRES DRÔLES N° 51

Illustration de la couverture : Philippe Germain

© Les éditions Héritage inc. 1998
Tous droits réservés

Dépôts légaux : 4e trimestre 1998
Bibliothèque nationale du Québec
Bibliothèque nationale du Canada

ISBN : 2-7625-0757-X   Imprimé au Canada

LES ÉDITIONS HÉRITAGE INC.
300, rue Arran, Saint-Lambert (Québec) J4R 1K5
Téléphone : (514) 875-0327
Télécopieur : (450) 672-5448
Courriel : info@editionsheritage.com

À tous ceux et celles
qui aiment collectionner,
écouter et raconter des blagues.

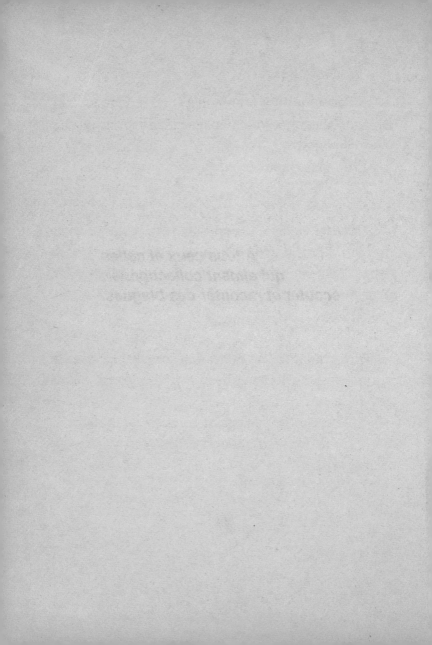

— Sais-tu qu'il y a un nouveau réverbère au coin de la rue ? annonce Fido l'épagneul à Frisé le caniche.

— Et alors ?

— Eh bien, mon vieux, ça s'arrose !

***

« Cher Père Noël, écrit un petit garçon, je te promets d'être sage et de ne plus me battre avec mon frère. Pour m'encourager, pourrais-tu m'apporter, pour Noël, une paire de gants de boxe ? »

***

Dans le train, Ernest place sa grosse valise dans le porte-bagages, juste au-dessus d'une grosse dame qui, inquiète, dit :

— Attention, monsieur, votre valise va tomber !

— Ça ne fait rien, répond Ernest, il n'y a rien de fragile dedans !

***

Un Esquimau attend sa fiancée devant un igloo. Comme elle n'arrive toujours pas, il commence à s'impatienter. Il sort un thermomètre de sa poche, le regarde et s'exclame :

— Si elle n'est pas là à moins dix, je m'en vais !

***

Entendu dans la rue :

— Le chien de mon voisin fait un stage de perfectionnement à l'école de dressage. Il sait rapporter, marcher au pied, mendier — et il apprend maintenant à expédier une télécopie.

***

Ma sœur a trouvé un moyen infaillible pour qu'on lui cède une place assise dans le métro aux heures de pointe : elle tient ostensiblement à la main un livre dont le titre est « J'attends un enfant ».

***

— Je me suis fait retendre la peau du visage, annonce Pierrette à son fiancé.

— Ah bon ? dit-il. Je ne vois pas la différence.

— C'est que tout est retombé quand j'ai vu la facture.

***

En traversant une route, une jeune conductrice aperçoit deux ouvriers qui grimpent sur un poteau téléphonique.

— Quels fous ! Je ne roule tout de même pas si mal que ça !

***

Une dame voudrait acheter une écuelle pour son petit chien-chien.

— Désirez-vous une écuelle avec une inscription POUR LE CHIEN ?

— Non, ce n'est pas nécessaire ! Mon chien ne sait pas lire et mon mari ne boit jamais d'eau.

***

Au cirque, un écuyer fait de la haute voltige.

— T'as vu ça ? s'exclame un spectateur impressionné à son voisin. Ce type se tient sur sa tête sur le dos du cheval, puis il s'accroche sous son ventre et il y reste attaché !

— Qu'est-ce qu'il y a de si extraordinaire ? Quand j'ai appris à monter à cheval, je faisais la même chose !

***

— Henri, pourquoi vas-tu toujours sur le balcon quand ta femme prend sa leçon de chant ?

— Logique, comme ça les voisins savent que je ne suis pas en train de la battre !

***

Une mère excédée arrache le combiné du téléphone à sa fille qui bavarde depuis des heures avec son petit ami :

— Non, vous ne parlez plus à votre petite poupée adorée, vous parlez à la vieille chèvre !

***

Le professeur :

— Faites bien attention, la chaleur dilate et le froid contracte. Qui peut me donner un exemple ?

Julien lève le doigt :

— Les grandes vacances durent huit semaines et les vacances de Noël, deux seulement !

***

— Paul, je viens de chez le médecin, et il est très inquiet au sujet de mon poids.

— Moi, les soucis du médecin, ce ne sont pas mes affaires !

***

Pierre demande à son médecin :

— Docteur, pensez-vous que ce soit dangereux de boire dans le verre d'un autre ?

— Cela dépend, répond le médecin, il y en a qui se retrouvent avec les deux mains cassées et un œil au beurre noir !

***

Lisette est allée nager dans la mer, malgré le temps glacial. Elle entre dans un restaurant et commande un café bien chaud.

— Avec du lait et du sucre ? demande la serveuse.

— Ça n'a pas d'importance, de toute façon, c'est pour mes pieds.

***

— Garçon, pourriez-vous me dire ce que cette mouche fait dans ma soupe ?

— Je crois qu'elle nage sur le dos, monsieur !

***

— Dommage que nous n'ayons pas découvert ce restaurant plus tôt !

— Tu le trouvais si bon ?

— Non, mais le poisson aurait été plus frais !

***

Un mauvais chasseur vante son chien :

— Ce chien est d'une intelligence extraordinaire !

— Je l'ai remarqué, admet l'autre chasseur, dès que tu lèves ton fusil, il court se cacher.

***

— Les fleurs que vous m'avez vendues hiers sont déjà fanées, se plaint un client.

— C'est bizarre, répond le fleuriste, chez moi, elles étaient belles depuis trois semaines !

***

Un petit garçon se présente à la caisse d'un cinéma :

— Vous avez encore des places en avant ?

— Certainement.

— Et derrière ?

— Pas de problème !

— Et au milieu ?

— Il en reste aussi.

— Je m'en vais alors ! Le film doit être vraiment ennuyant s'il en reste tant.

***

— Pierre, il me semble que tu bois beaucoup dernièrement !

— Je sais, je noie mon chagrin !

— Et tu y arrives ?

— Je n'ai pas l'impression, je crois qu'il sait nager !

***

— Tu sais que Mario fête bientôt ses noces de fer blanc ?

— De fer blanc ? C'est combien d'années de mariage, ça ?

— Vingt ans de boîtes de conserve !

***

— Monsieur, vous reconnaissez donc avoir cassé une chaise en deux sur la tête de la victime ?

— Oui, monsieur le juge, mais je ne l'ai pas fait exprès !

— Vous ne vouliez pas toucher la victime ?

— Non, je ne voulais pas casser la chaise !

***

— Je viens de voir votre toile, elle est magnifique. C'est la seule devant laquelle j'ai pu m'arrêter.

— Vous me flattez, dit le peintre.

— Pas du tout, devant les autres, il y avait plein de monde !

***

Lors d'un safari, deux chasseurs sont sur la piste d'un énorme lion.

— Tu sais quoi, propose l'un deux, nous devrions nous séparer et chercher chacun de notre côté.

— Très bien, dit l'autre en tremblant des pieds à la tête, toi, tu cherches où il est et moi, d'où il vient !

***

— Pourquoi ne vous êtes-vous jamais marié, monsieur Leroux ?

— Voyez-vous, j'ai toujours cherché la femme idéale. Et lorsque je l'ai trouvée, elle aussi cherchait le mari idéal. Alors ça n'a pas marché.

***

Paul se déplace péniblement avec des béquilles.

— Qu'est-ce qui t'est arrivé? demande son ami.

— Un accident de voiture.

— Tu ne peux vraiment pas marcher sans béquilles?

— Je ne le sais pas. Mon médecin dit que oui, mais mon avocat prétend le contraire.

***

— Vous avez encore un journal d'aujourd'hui?

— Non, malheureusement, mais revenez demain, vous serez sûr d'en avoir un d'aujourd'hui!

***

Qu'est-ce que c'est un lapide?

Un tlain qui loule tlès tlès vite!

***

— Hier soir, il faisait tellement noir que je ne voyais pas ma main devant mes yeux ! dit Pierre.

— Pourquoi est-ce que tu mettais la main devant tes yeux s'il faisait si noir ? demande Jean.

***

Deux lapins regardent un magicien qui sort un lapin de son chapeau.

— C'est amusant, admet madame Lapin, mais je préfère tout de même notre manière à nous.

***

Deux ours polaires se promènent dans le désert.

— Ça doit être très glissant ici ! s'exclame l'un d'eux.

— Pourquoi dis-tu ça ?

— Tu as vu tout le sable qu'ils ont dû jeter ?

***

Un monsieur demande des timbres au bureau de poste. Après les avoir payés, il les repousse vers l'employé.

— Pourriez-vous enlever le prix ? C'est pour un cadeau !

***

— Le chemin est long des vestiaires au ring, gronde un boxeur.

— Ne t'en fais pas, pour le retour, on te portera, ricane son adversaire.

***

L'entraîneur dit à un des joueurs de l'équipe :

— Aujourd'hui, tu joues contre Jean-la-Terreur.

— Oh ! non ! Il renverse tout ce qui bouge sur son passage !

— Justement, tu ne risques rien !

***

Le téléphone sonne au bureau. La secrétaire répond et s'adresse à son patron.

— Monsieur, je crois que c'est peut-être pour vous.

— Comment ça, peut-être ? Est-ce que c'est pour moi, oui ou non ?

— Je crois bien que oui, la personne veut parler à l'imbécile !

***

Si mon fils rate son examen, il se suicide, dit le père. Le professeur le rassure :

— Avec les connaissances qu'il possède en anatomie, il n'y a aucune chance que cela lui arrive.

***

Le juge :

— Vous avez traité la victime d'imbécile. Avez-vous autre chose à ajouter ?

— Non, monsieur le juge. Ça risque de me coûter trop cher.

***

17

Le professeur demande à sa classe :

— Qui peut me dire qu'est-ce qu'un Suédois, un Norvégien, un Finlandais et un Danois ?

— Moi je sais ! répond Laurence. Ce sont trois habitants d'un pays scandinave et un gros chien !

***

Une puce demande à sa copine puce :

— Qu'est-ce que tu ferais, toi, si tu gagnais à la loto ?

— Oh, moi, je ferais un voyage en Doberman !

***

Un homme se promène dans la rue avec son chien. Tous les autres chiens qu'ils rencontrent se sauvent à toute vitesse en les apercevant. Un passant s'adresse au propriétaire du chien :

— C'est toute une bête que vous avez là ! Tous les autres semblent en avoir peur. Dites-moi, de quelle race est-il ?

— Oh, je ne sais pas ! C'est mon frère qui me l'a envoyé d'Afrique. Il avait une crinière mais je l'ai rasée...

***

— Quel est le meilleur moyen d'attirer un singe, dans la jungle ?
— Imiter le cri de la banane !

***

— Sais-tu comment les éléphants plongent dans une piscine ?
— La tête la première !

***

— Docteur, j'ai l'impression que je perds la mémoire.
— Il y a longtemps que vous avez ces symptômes ?
— Quels symptômes, docteur ?

***

Une mouche à feu dit à une autre :

— Si cette crise de l'énergie continue, tu vas voir qu'on aura besoin de nous !

***

Marc vient de faire une spectaculaire chute de vélo. Il se relève péniblement, tout éraflé. Un monsieur qui l'a vu lui demande :

— Tu es tombé ?

— Non, c'est ma façon normale de descendre de mon vélo...

***

Le trottoir est tout glacé et très glissant. Véronique rencontre son professeur, qui lui dit :

— Bonjour ! C'est glissant aujourd'hui, il faut se tenir sur ses gardes !

— Oui, répond Véronique, mais je crois que c'est encore mieux de se tenir sur ses pieds.

***

Maxime s'abonne à la bibliothèque. Sur le formulaire, on lui demande sa date de naissance. Maxime écrit: «Mon anniversaire est le 7 juillet.» La bibliothécaire examine le formulaire et dit:

— Tu as écrit que ton anniversaire est le 7 juillet. Mais de quelle année?

— Chaque année! répond Maxime.

***

Qu'est-ce qu'un coureur de marathon perd toujours?

Son souffle.

***

— Sophie, dit la maman, tu vas t'habiller toute seule, tu es maintenant assez grande.

Sophie ressort de sa chambre bien habillée de la tête aux pieds.

— Tu vois, dit sa mère, tu es capable!

— Oui, ça va. Sauf que mes souliers me font mal!

— C'est parce tu les as mis dans les mauvais pieds.

— Mais maman, répond Sophie, ce sont les seuls pieds que j'ai...

***

— Maman, qu'arrive-t-il quand on meurt?

— On retourne en poussière.

— Oh là là, je crois qu'il y a un mort sous mon lit...

***

Quel est le nom le plus long du monde?

Univers, parce qu'il n'a pas de fin.

***

Qu'est-ce qui a deux bras mais qui ne peut pas manger?

Une chemise.

***

Qui sont les auteurs du meilleur livre sur les fleurs?

Rose Laviolette et Jacinthe Latulipe.

***

— Dis maman, demande une petite fille, quand une voiture est trop vieille pour rouler, qu'est-ce qu'on fait?

— Eh bien, on la vend à ton père!

***

Pourquoi les fakirs emportent toujours un porc-épic avec eux en voyage?

Parce qu'ils ne partent jamais sans leur oreiller!

***

Maxime se pose de graves questions.

— Maman, comment elles font, les abeilles, pour faire du miel?

Sa mère lui explique comment butinent et travaillent les petites abeilles laborieuses.

— Oui, mais comment elles font pour acheter les pots, coller les étiquettes?

***

C'est quoi la différence entre un suçon et un avion?

Le suçon colle et l'avion décolle.

***

Une jeune fille apporte une bouée de sauvetage avec elle à son examen. Son professeur lui demande pourquoi.

— Comme ça, je suis sûre de ne pas couler!

***

Julien va souper chez son ami Sébastien.

— Aujourd'hui, dit la maman de Sébastien, on mange des pommes de terre en robe de chambre. Tu aimes ça?

— Je ne sais pas. Chez nous, les pommes de terre, on les mange toujours toutes nues.

***

Pourquoi certains professeurs portent-ils des lunettes teintées ?

Parce que les élèves sont trop brillants !

***

Annie s'amuse avec son petit frère. Elle se précipite soudainement vers sa mère :

— Maman, maman ! Olivier a mis une craie dans sa bouche !

— Oh ! c'est très gentil de m'avoir avertie. Comme ça, on a évité un grave problème !

— Ah oui ! Car sinon, je n'aurais plus de craie bleue !

***

Qu'est-ce qui est blanc quand c'est sale et noir quand c'est propre ?

Un tableau noir.

***

— Depuis que j'ai acheté cette voiture usagée, elle grince, pétarade, ronronne, siffle, chuinte, tape, craque et bourdonne. La seule chose qui ne fait pas de bruit, c'est le klaxon.

***

— Je veux un billet pour Toronto.
— Voulez-vous y aller par Ottawa?
— Mais non, par train, voyons.

***

Le petit Mathieu est en vacances sur le bord de la mer. Il trouve un énorme coquillage et va le poser sur l'oreille de sa mère.
— Écoute, maman, on entend la mer!
— Mais oui, Mathieu!
Mathieu trouve plus tard un tout petit coquillage. Il retourne vite voir sa mère.
— Maman, écoute, on entend la piscine!

***

Qu'est-ce qui connaît toutes les langues mais qui n'en comprend aucune?

L'écho.

***

L'autre jour, on a servi de la soupe bouillante au prince Charles. Il s'est brûlé au palais!

***

— Comment étaient les questions d'examen?

— Les questions étaient faciles, mais j'ai eu des problèmes avec les réponses!

***

Gabrielle raconte à ses amis:

— Quand je me suis assise au piano, tout le monde a ri de moi.

— Pourquoi? Tu as mal joué?

— Non, il n'y avait pas de banc.

***

— Véronique, as-tu des trous dans tes bas? lui demande Luc.

— Mais pas du tout!

— Ah non? Alors comment as-tu fait pour les mettre?

***

— Sais-tu qu'il faut trois moutons pour faire un gilet?

— Vraiment? Je ne savais même pas qu'ils pouvaient tricoter.

***

Un homme arrête tous les passants dans la rue pour leur demander s'ils n'auraient pas de chien. Un des passants lui demande:

— Mais pourquoi avez-vous tant besoin d'un chien?

— C'est parce que j'ai un chat dans la gorge, et j'aimerais bien m'en débarrasser.

***

Quelle est la meilleure chose à faire avant de prendre son bain ?

Se déshabiller !

***

Après avoir écouté une histoire où l'on parlait de lapins et de lièvres, la petite Myriam demande ce que c'est qu'un lièvre.

— C'est le cousin du lapin, lui explique sa maman. Tu vois, toi aussi tu as des cousins et...

— Oui, poursuit Myriam, mais ce ne sont pas des lapins.

***

— Tu as quitté ton amoureuse parce qu'elle devait porter des lunettes ?

— Non, ce n'est pas ça. Dès qu'elle a mis ses lunettes, c'est elle qui m'a quitté...

***

Julie et sa famille sont en vacances à la campagne.

— Maman, regarde comme c'est beau, dit Julie, un château d'arbres.

— Oui, mais on dit une montagne, Julie !

***

— Papa, demande Julie, est-ce que ça coûte cher de la moutarde ?

— Mais non !

— Alors pourquoi maman a crié aussi fort quand j'en ai renversé sur son chandail ?

***

Plus on en enlève, plus ça grossit. Qu'est-ce que c'est ?

Un trou.

***

— François, demande le prof de musique, que s'est-il passé en 1770 ?

— La naissance de Beethoven.

— Bien. Et en 1780 ?

— Beethoven a eu dix ans...

***

Une classe organise un concours de dessin et le premier qui finit remporte un livre d'histoires drôles. Frédéric fait un petit point au milieu de sa feuille et va le montrer à sa maîtresse.

— Tu as déjà fini ? Qu'as-tu dessiné là ?

— Une vache qui mange de l'herbe.

Où sont donc la vache et l'herbe ?

— Puisqu'elle a tout dévoré, je ne vois pas pourquoi elle resterait là !

***

— Ma mère m'a puni pour une chose que je n'ai même pas faite, dit Justin à Simon.

— Ah oui ! Qu'est-ce que c'est ?

— Mes devoirs...

***

Pourquoi les coqs ont des ailes et les poules pondent des œufs?

Parce que les coqs ont besoin d'ailes (elles) et les poules ont besoin d'œufs (eux).

***

Un chien entre dans un bar et commande un whisky.

— C'est dix dollars, répond le barman. Vous savez, c'est la première fois que je sers un chien!

— Et c'est sûrement la dernière, à ce prix-là!

***

C'est un nigaud qui s'en allait à la pêche sur la glace. Il s'est fait jeter en dehors de l'aréna!

***

Qu'est-ce qui est blanc rayé noir et qui roule?
Un zèbre en patins en roulettes.

***

Comment éternue un conducteur de train ?
Ahtchou-tchou !

***

Quelle est la différence entre une puce et un chien ?
Un chien peut avoir des puces mais une puce ne peut pas avoir de chiens.

***

Une jeune homme veut s'engager dans la marine. Le lieutenant lui demande :
— Savez-vous nager ?
— Quoi, il n'y a plus de bateaux ?

***

Dans un casino, deux types bavardent.
— Moi, je te dis que si tu t'accroches suffisamment longtemps à un numéro, il finit toujours par sortir. Hier, par exemple, j'ai misé sans arrêt sur le treize...

— Et il est sorti ?

— Oui. Une minute après moi.

***

Au cours de conduite, le moniteur demande à un élève :

— Que fais-tu si, sur l'autoroute, une voiture se dirige sur toi à toute vitesse ?

— Je fais une prière !

***

— Sais-tu ce que nous donne une vache stressée ?

— Un lait fouetté.

***

Comment pouvez-vous sauter d'une échelle de dix mètres de haut sans vous faire de mal ?

En sautant du premier échelon.

***

Quelle est la différence entre un biscuit et un éléphant?

On ne peut pas tremper un éléphant dans un verre de lait.

***

Michel est allé visiter une ferme. Les cochons l'ont beaucoup impressionné. De retour à la maison, il dit à son père:

— Papa, j'ai vu des animaux qui parlent comme toi quand tu dors!

***

La mère de Pierre avait trois enfants: Cric, Crac et...? Pierre.

***

Qu'est-ce qu'une harpe?
Un piano tout nu.

***

Un enfant demande à son père :
— Où se trouve la Grèce, papa ?
Le père :
— Je l'ignore. Demande plutôt à ta mère, c'est elle qui range tout.

***

Qu'est-ce qui a un lit mais ne dort pas ?
Une rivière.

***

Pourquoi les vaches ne parlent pas dans les étables ?
Parce que c'est écrit « La Ferme ».

***

Qu'est-ce qui a un cou mais pas de tête ?
Une bouteille.

***

Une enseignante demande à Pascal, un grand sportif :

— Pascal, combien font trois et trois ?

— Un match nul, madame.

***

Qu'est-ce qu'une chenille ?

Un ver en manteau de fourrure.

***

Comment fait un éléphant pour descendre d'un arbre ?

Il s'assoit sur une feuille et attend l'automne !

***

— Mon chien joue aux échecs.

— Ton chien joue aux échecs ! Incroyable ! Il doit être très intelligent !

— Pas tant que ça, c'est presque toujours moi qui gagne.

***

Que font les moutons quand ils ne peuvent pas dormir?

Ils comptent des humains!

***

Si tu te couches à huit heures et que tu règles ton réveil pour neuf heures, combien de temps dormiras-tu?

Une heure.

***

— Dis donc, Pierre, pourquoi as-tu une saucisse sur l'oreille?

— Ah ben, ça alors! J'ai dû manger mon crayon pour dîner!

***

Deux Indiennes transportant chacune un bébé se rencontrent. Elles se disent:

— Hug!

Les deux bébés se disent:

— Huggies!

***

— Jonathan, arrête de te rouler dans la boue !

— Mais, maman, je joue au cow-boy !

— Ah, même les cow-boys doivent écouter leur maman !

— Oui, mais moi je joue au cow-boy orphelin.

***

Quel est l'animal qui a deux bosses et qu'on retrouve au pôle Nord ?

Un chameau perdu !

***

La police arrête un homme qui roulait à 200 km/h sur l'autoroute.

— Excusez-moi, monsieur l'agent, je roulais un peu trop vite.

— Je dirais plutôt que vous voliez un peu trop bas !

***

Au mariage de sa cousine, Patrice se promène avec une tranche de pain à la main. Sa mère lui demande ce qu'il fait là.

— C'est que j'aimerais bien porter un toast aux nouveaux mariés.

***

C'est l'histoire d'un nigaud qui avait de la difficulté à endormir ses enfants le soir. Il leur chantait des chansons à répondre !

***

Certains mois ont 30 jours, d'autres 31. Combien en ont 28 ?

12 mois, parce que tous les mois ont 28 jours !

***

Sylvie téléphone un matin à l'école. C'est la directrice qui répond.

— Allô.

— Bonjour, j'appelle pour vous dire que Sylvie Bertrand sera absente aujourd'hui.

— D'accord. Qui est à l'appareil ?

— C'est ma mère.

**

Au magasin de chaussures :

— J'aimerais bien avoir des souliers de crocodile.

— Bien sûr, madame, quelle pointure chausse votre crocodile ?

**

Qu'est-ce que Dieu mange en buvant du thé ?
Un gâteau des anges.

**

Benoît écoutait sa sœur faire sa répétition de chant.

— Nadine, j'aimerais beaucoup t'entendre chanter des cantiques de Noël.

— Oui ? C'est gentil ! Pourquoi ?

— Parce que j'aurais à t'entendre chanter juste une fois par année !

***

Si un gardien de but meurt, qu'est-ce qu'il lui arrive au paradis ? Il devient un ange gardien.

***

— Je n'arrête pas de voir des porcs-épics roses à pois blancs.

— As-tu vu un docteur ?

— Non, juste des porcs-épics roses à pois blancs.

***

— J'ai oublié la fête de ma sœur.

— Oh là là! Et qu'est-ce qu'elle a dit?

— Rien... pendant six mois.

***

Toto fait sa prière avant de s'endormir:

— Mon Dieu, faites que Calcutta devienne la capitale de l'Irlande.

— Mais, Toto, pourquoi demandes-tu cela au bon Dieu? fait la maman, surprise.

— Parce que, réplique Toto, c'est ce que j'ai écrit dans mon examen.

***

Qu'est-ce qui est blanc et qui monte et descend?
Un flocon de neige très mélangé!

***

— Ma femme a les jambes tellement longues, dit un monsieur à son ami, que, lorsqu'elle monte à cheval, elle met des patins à roulettes.

***

Que faut-il faire avant de descendre d'un autobus ?
Il faut y monter.

***

Où les vampires aiment-ils le plus se baigner ?
Dans la mer Morte.

***

Si vous voyez un éléphant s'asseoir sur une chaise, quelle heure est-il ?
L'heure d'acheter une nouvelle chaise !

***

Pourquoi le i est la voyelle la plus paresseuse ?
Parce qu'elle est toujours dans le lit.

***

Conversation à l'approche des fêtes :
— Je ne sais pas quoi acheter à ma femme. Si je lui offre quelque chose d'utile, elle va pleurer, j'en suis certain.
— Dans ce cas, vous n'avez qu'à lui acheter des mouchoirs !

***

Quelle différence y a-t-il entre un éléphant d'Afrique et un éléphant d'Asie ?
Environ cinq mille kilomètres !

***

Un garçon demande à son ami si c'était malchanceux d'être poursuivi par un chat noir. Son ami a répondu : « Pour une souris, oui. »

***

— Brigitte, demande le professeur, nomme-moi deux pronoms.

— Qui, moi ?

— C'est très bien, Brigitte.

***

Qu'est-ce qui ne pose jamais de questions mais auquel on doit toujours répondre ?

Le téléphone.

***

Olivier : Jean, comment s'appelle ton nouveau chat ?

Jean : Je ne sais pas, il ne me l'a pas dit.

***

— Je peux faire une chose que personne d'autre dans l'école n'est capable de faire, dit Marc, pas même les professeurs.

— Qu'est ce que c'est ?

— Lire mon écriture.

***

Qu'est-ce qui court mais n'a pas de jambes ?
Une rumeur.

***

Un petit garçon fait sa prière le soir. Sa maman l'entend dire :

— S'il vous plaît, n'envoyez plus d'enfants à mes parents. Moi, j'aimerais bien avoir des frères et des sœurs, mais papa et maman n'ont vraiment aucune expérience avec les enfants !

***

Il y a douze oiseaux sur une branche. Sept oiseaux décident de partir. Combien en reste-t-il ?

Il en reste douze, car les sept oiseaux ont juste décidé de partir, ils ne sont pas encore partis !

***

Quels sont les quatre mots que les élèves répètent le plus souvent ?

Je ne sais pas !

***

Pourquoi les fous ne réussissent pas l'élevage des poules ?

Parce qu'ils plantent les œufs trop creux.

***

Deux copains se racontent les problèmes qu'ils ont avec leurs parents.

— Moi, ma mère ne me comprend pas, dit Alain. Et la tienne ?

— Oh, je ne sais pas. Tu sais, elle ne me parle pas souvent de toi !

***

— Simon, demande le professeur, si j'ai cinq pommes dans ma main gauche et sept pommes dans ma main droite, qu'est-ce que j'ai ?

— Vous avez certainement les plus grosses mains du monde entier !

***

Quel est le numéro de téléphone de monsieur Poulet ?
444-1919.

***

Qu'a fait Christophe Colomb après avoir mis un pied en Amérique ?
Il a mis l'autre pied.

***

Pourquoi les kangourous détestent les journées de pluie ?
Parce que leurs enfants sont obligés de jouer à l'intérieur.

***

Josée interroge son amie Mélanie :

— Sais-tu comment s'appelle l'appareil que l'on utilise pour regarder les astres ?

— Le télescope.

— C'est bien. Et l'appareil avec lequel on observe les microbes ?

— Un microscope.

— Bravo ! Et l'appareil qui permet de voir au travers des murs ?

— Un muriscope ?

— Mais non, idiote ! Une fenêtre !

***

Qui gagne sa vie en ne travaillant pas une seule journée ?

Le gardien de nuit !

***

Deux fous n'aiment pas l'endroit où la tour du CN est placée. Ils décident de la changer de place. Ils commencent à la pousser. Les deux fous ont chaud, ils enlèvent leurs manteaux et les mettent par terre. Pendant qu'ils poussent la tour du CN, un mendiant passe et prend leurs manteaux. Dix minutes plus tard, ils regardent derrière eux et se disent: «Nous sommes très forts. Nous avons poussé la tour si loin que l'on ne voit plus nos manteaux!»

***

Qu'est-ce qui est long, a la tête rouge et est couché dans une boîte?
Une allumette.

***

Comment appelle-t-on un cochon qui vole?
Un aéro-porc (aéroport).

***

Annie met sa tête sur l'épaule de son amoureux et dit: «Comment est-ce qu'on sent quand on a une tête sur les épaules?»

***

Trois copains reviennent de l'école.

— Que pourrait-on faire cet après-midi? demande le premier.

— Je sais, dit le second. On n'a qu'à jouer à pile ou face. Si c'est pile, on va patiner. Si c'est face, on va se baigner.

— Et si la pièce tombe sur le côté?

***

Comment appelle-t-on le concierge russe?
Itor Lamop.

***

Quel animal a la plus haute intelligence?
La girafe.

***

— Maman, demande le petit ours polaire, est-ce que je suis 100% ours polaire?

— Mais oui, mon petit, pourquoi me poses-tu cette question?

— Parce que j'ai f-f-f-froid !

**

Deux hommes se promènent dans la rue. L'un dit à l'autre :

— Regarde, un mouche.

L'autre réplique :

— On ne dit pas un mouche, on dit une mouche.

L'autre, tout surpris, lui répond :

— Comment as-tu fait pour savoir que c'était une femelle ?

**

Qu'est-ce que le vent ?
De l'air pressé.

**

— Nomme cinq choses qui contiennent du lait.
— Le beurre, le fromage, la crème glacée, et... et... deux vaches !

**

Deux puces sortent du cinéma sous la pluie battante. L'une demande à l'autre :

— Qu'est-ce qu'on fait ? Est-ce qu'on marche jusqu'à la maison ?

— Ah non, on n'a qu'à prendre un chien.

***

Que dit la grande cheminée à la petite cheminée ?
Tu es trop jeune pour fumer.

***

Quel est le mot le plus long de la langue française ?
Famille, parce qu'il y a mille entre le début et la fin.

***

À quel moment un tigre mangeur d'hommes a le plus de chances d'entrer dans une maison ?
Quand la porte est ouverte...

***

Qu'est-ce qui a des dents noires et blanches ?
Un piano.

***

Qu'est-ce qui court autour du jardin mais ne bouge pas ?
La clôture.

***

Pendant la leçon de conjugaison, le professeur explique à Nicole :

— Si c'est toi qui chantes, tu dis : « Je chante ». Si c'est ton frère, que dis-tu ?

— Je dis : « Arrête ! »

***

Sophie accoste une passante sur le trottoir.

— Madame, pouvez-vous m'ouvrir la clôture, s'il vous plaît ?

— Bien sûr, mais regarde bien comment je fais pour pouvoir l'ouvrir toi-même demain.

— Oh, non, demain la peinture va être sèche !

***

Un train électrique se dirige vers l'ouest. De quel côté la fumée se dirige-t-elle ?

Il n'y a pas de fumée, c'est un train électrique !

***

Deux vampires cherchent du sang. Ils partent chacun de leur côté et se donnent rendez-vous à minuit. Le premier arrive au rendez-vous couvert de sang. Son ami lui demande :

— Où as-tu trouvé tout ce sang ?

— Tu vois l'arbre là-bas ?

— Oui.

— Moi je ne l'ai pas vu !

***

Une dame entre dans un magasin de chaussures.

— Monsieur, je voudrais des souliers à talons plats.

— C'est pour aller avec quoi, madame ?

— C'est pour aller avec mon mari, il ne mesure que cinq pieds un pouce.

***

Qu'est-ce qu'une framboise?
Une fraise avec une permanente.

***

Qu'est-ce qu'un dentiste?
C'est quelqu'un qui s'empare des dents des autres pour se mettre quelque chose sous la sienne.

***

Pourquoi les cannibales ne mangent pas de clowns? Parce que ça goûte drôle!

***

Jeannot:
— Ma mère fait une grossesse nasale.
— Mais c'est impossible.
— Eh oui! Elle attend un nouveau-né!

***

Madame, demande la petite Annette, est-ce que c'est mal de se mettre en colère ?

— Oh oui, répond la maman, ce n'est pas bien du tout, il ne faut jamais se mettre en colère.

— Ah bon, alors je vais te le dire : j'ai renversé ta belle plante dans le salon et j'ai cassé ton beau vase...

***

Quel est le fruit qui fait peur aux poissons ?
La pêche.

***

Dans le métro, une dame se lève et se prépare à sortir du wagon.

— Madame ! Madame ! lui crie un passager. Vous oubliez votre paquet sur le banc.

— Oui, je sais ! C'est le lunch de mon mari, il travaille aux objets perdus !

***

— Je suis heureuse de ne pas être née au Japon.

— Pourquoi?

— Parce que je ne sais pas parler le japonais.

**

Un nigaud se tape la tête à coups de marteau. Son copain nigaud le regarde agir et lui demande pourquoi il fait ça.

— Je me tape avec un marteau, répond-il, parce que ça me fait tellement de bien quand j'arrête!

**

— Mon perroquet pond des œufs carrés.

— C'est incroyable! Et est-ce qu'il peut parler?

— Oui, mais il ne connaît qu'un seul mot.

— Lequel?

— Ouch!!

**

Un garçon qui a une grande langue dit à son père :

— Je vais faire un spectacle de marionnettes.

— Et quel sera le titre ? lui demande son père.

— L'Histoire sans fin !

***

Henri s'en va visiter son copain Alex. Celui-ci est attablé devant un gros poulet frit.

— Tu ne vas pas manger tout ce poulet tout seul ? demande Henri.

— Oh non, répond Alex, je vais le manger avec des frites !

***

Qu'est-ce qui a des dents mais ne mange jamais ?
Un peigne.

***

— Alors, vous faites des imitations d'oiseaux, dit l'agent d'artistes.

— Exactement, monsieur.

— Et quel genre d'imitation ?

— Je mange des vers.

***

Le gardien demande au prisonnier qui vient juste d'obtenir sa libération :

— Avez-vous fait des projets pour l'avenir ?

— Oui, une banque et quelques bijouteries.

***

Je suis un poisson et pourtant je ne vis pas dans l'eau. Qui suis-je ?

Le poisson d'avril !

***

— Oh, mon chéri! Quel merveilleux cadeau d'anniversaire! Je suis si contente. Je n'arrive pas à trouver les mots pour te dire à quel point tu me fais plaisir!

— Bon, dans ce cas, l'année prochaine, je vais t'offrir un dictionnaire.

***

— Carl, dit le professeur, si je te donne une pièce de dix cents et une de cinq cents, combien ça te fait d'argent en tout?

— Vingt-cinq cents, répond Carl.

— Comment ça, vingt-cinq cents? s'étonne le professeur.

— Mais oui, parce que j'ai déjà dix cents.

***

Qu'est-ce qui monte mais pourtant ne bouge jamais?

Un escalier.

***

Un fou dit à un autre :

— Regarde la forêt là-bas.

— Je ne la vois pas, les arbres la cachent.

***

Un fermier, père de famille nombreuse, dit à son fils :

— J'ai décidé de croiser une dinde avec une pieuvre.

— Ouache, mais pourquoi, papa ?

— Comme ça, toute la famille va pouvoir manger sa cuisse à Noël !

***

— Qui peut se déplacer aussi vite qu'une fusée ?

— L'astronaute qui est dedans !

***

Il y a un voleur dans le lac et des policiers tout le tour. Comment le voleur va-t-il s'en sortir ?

Mouillé !

***

— Docteur, docteur ! Mon enfant vient d'avaler un stylo !

— J'arrive tout de suite.

— Mais que dois-je faire en attendant ?

— Vous pouvez vous servir d'un crayon à mine.

***

Un passant aperçoit un petit garçon en pleurs sur un pont.

— Qu'est-ce qu'il y a, mon petit ?

— Mon suçon est tombé dans la rivière, répond l'enfant en pleurant.

— Mais ça ne vaut pas la peine de pleurer comme ça juste pour un suçon !

— Mais c'est que mon suçon était dans la main de mon frère...

***

— Alexandre, dis-moi quoi faire. Mon professeur trouve que mes devoirs ne sont lisibles. Mais si j'écris trop clairement, il va s'apercevoir que je fais des fautes !

***

— Pourquoi es-tu assis sur le chat ?
Parce que le prof nous a demandé d'écrire un texte sur l'animal de la maison.

***

— Sais-tu que Simon et Antoine se sont battus hier dans la cour d'école ?
— Mais je croyais qu'ils étaient inséparables.
— Justement, on dû se mettre à trois pour les séparer !

***

Un monsieur trouve un pingouin dans la rue. Il arrête un policier qui passait pas là et lui demande ce qu'il doit faire.

— Amenez-le au zoo.

— D'accord, monsieur l'agent.

Quelques jours plus tard, le policier aperçoit le même monsieur qui se promène avec le pingouin.

— Hé, monsieur ! Je vous avais pourtant dit d'emmener ce pingouin au zoo !

— C'est ce que j'ai fait, et il a beaucoup aimé ça. Aujourd'hui, nous allons au cinéma.

***

Quelle est la laitue préférée des Esquimaux ?
La laitue Iceberg.

***

— Docteur, je travaille comme un cheval, je dors comme une marmotte, je mange comme un cochon, je parle comme une pie. Que me conseillez-vous ?

— Je vous suggère de consulter un vétérinaire.

***

Le docteur à son patient :

— Cher monsieur, je dois vous opérer de nouveau.

— Mais pourquoi, docteur ?

— C'est que j'ai laissé un gant de caoutchouc à l'intérieur.

— Il n'est pas question que vous m'opériez encore. Vous n'avez qu'à vous acheter une autre paire de gants.

***

Que se disent deux clowns au restaurant ?

— Bouffons ! ...

***

Un bûcheron se cherche un emploi. Il se présente chez un futur employeur, qui lui demande s'il a de l'expérience.

— Bien sûr. J'ai travaillé longtemps dans le désert du Sahara.

— Mais voyons, monsieur, il n'y a pas d'arbres dans le Sahara !

— Pardon, monsieur, il n'y en a plus.

***

Frédérique et sa maman font une visite au zoo. En apercevant un porc-épic, Frédérique s'écrie :

— Oh maman ! Regarde, un cactus qui marche !

***

Au dépanneur, monsieur Tremblay rencontre son vieux copain.

— Salut, mon vieux. Il paraît que tu as acheté un chien de garde. Est-ce qu'il est efficace ?

— Je comprends, ça fait trois jours que j'essaie
de rentrer chez nous !

***

Qu'est-ce qui ressemble le plus à la moitié d'un
fromage ?
L'autre moitié.

***

— Sais-tu quelle est la différence entre une pelle,
une chemise et une semaine ?
— Euh... non.
— La pelle a un manche, la chemise a deux
manches, et la semaine a dimanche !

***

Qu'est-ce qu'un aimant dit à un autre aimant ?
— Tu es très attirant.

***

— Monsieur, sur le panneau devant votre bou-
tique vous avez écrit chocolad avec un d.

— Je sais.

— Mais c'est une erreur !

— Peut-être, mais tous ceux qui entrent pour me
le dire finissent par acheter quelque chose !

***

Qu'est-ce qui va sur ta tête, sous tes pieds, mais ne
couvre pas ton corps ?

Une corde à danser.

***

Savez-vous pourquoi les oiseaux volent vers le
sud quand arriver l'hiver ?

Parce que ça serait trop long d'y aller à pied !

***

Toute la classe visite le zoo. Devant les girafes, le professeur demande :

— Aimeriez-vous avoir un si long cou ?

— Moi, je n'aimerais pas ça pour me laver, répond Dominique. Mais pour copier, oui !

***

Pourquoi les rayons X s'appellent de cette façon ?

Parce que celui qui les a inventés voulait demeurer anonyme.

***

Martin et Éric jouent aux cartes. Martin n'arrête pas de tricher. Excédé, Éric lui dit :

— Dis donc, toi, est-ce que tu sais ce qui arrive aux tricheurs ?

— Oui, ils gagnent toujours !

***

Pourquoi est-ce que V est la lettre préférée des écoliers?

Parce qu'elle est au début des vacances.

***

— Dans quoi trouve-ton les pommes? demande le professeur à Sylviane.

— Dans les pommiers.

— Très bien. Et dans quoi trouve-t-on les dattes?

— Dans les calendriers...

***

Qu'est-ce qui est gris, a de grandes oreilles et fait skweek skweek?

Un éléphant qui porte des chaussures neuves.

***

Un jour, dans une pouponnière, un homme nommé André demande à son copain Raymond (dont la femme vient d'avoir un bébé):

— Comment vas-tu nommer ton fils ?

— Caillou, répondit Raymond.

— Caillou, répéta l'autre, es-tu fou ? Tout le monde va se moquer de lui !

— Ben, t'as bien appelé le tien Pierre !

***

Que lisent les kangourous ?
Des livres de poche.

***

— Madame, se plaint la locataire au concierge, mes voisins du dessus exagèrent. Hier, en plein milieu de la nuit, ils ont frappé sur le plancher pendant une heure.

— Et ils vous ont réveillée ?

— Non, heureusement, je jouais de la trompette !

***

Si ton frère avait un dédoublement de personnalité, qui serait-il?

Ton demi-frère!

***

— Dis donc, André, c'est impossible de tuer un chat en le lavant!

— Mais ce n'est pas en le lavant que je l'ai tué, c'est en le mettant dans la sécheuse...

***

Comment appelle-t-on un éléphant qui se tient avec 40 voleurs?

Ali-Babar.

***

— Pourquoi pleures-tu, ma chérie? demande la maman.

— Papa s'est donné un coup de marteau sur le doigt.

— Mais ma pauvre chérie, il ne faut pas pleurer pour ça !

— Oui, parce que j'ai commencé par rire.

***

— Papa, à l'école j'ai refusé de dénoncer quelqu'un au professeur et j'ai eu une punition.

— Mais qu'est-ce que le professeur voulait savoir ?

— Il m'a demandé qui avait tué Jules César.

***

Pourquoi les chiens courent-ils en tournant en rond ? Parce qu'ils ne peuvent pas tourner en carré.

***

— Simon, c'était ton premier jour d'école. Qu'est-ce qu'on t'a enseigné ?

— Oh, pas grand-chose, il faut que j'y retourne demain.

***

Le maire de Montréal remet une médaille à un centenaire.

— Dites-nous donc, cher monsieur, comment avez-vous fait pour vivre jusqu'à cent ans? Quelle est, d'après vous, la raison principale?

— La raison principale, c'est que je suis né en 1898!

***

Comment un chien peut-il se débarrasser de ses tiques?

En enlevant sa montre.

***

Un monsieur va voir son ami mécanicien dans les ascenseurs à son travail. Il lui demande: «Alors, comment aimes-tu ton emploi?» Son ami lui répond: «Ah, tu sais, il y a des hauts et des bas!»

***

— Alexandre, demande le professeur, combien font trois plus quatre?

— Huit.

— Ah oui? J'ai toujours cru que trois plus quatre, ça faisait sept.

— Eh oui, mais qu'est-ce que vous voulez, monsieur, tout augmente!

***

Pourquoi les sorcières se promènent-elles avec des chats sur leurs balais?

Parce que les éléphants ont le mal de l'air!

***

Julien dit à Frédéric:

— Il n'est pas question que je te donne un morceau de chocolat. Toi, tu ne me donnes jamais rien.

— Erreur, l'année passée je t'ai donné la varicelle.

***

Qu'est-ce que ça fait quand une personne grimpe dans un arbre?

Ça fait une personne de moins sur la terre.

__CONCOURS__

Tu dois connaître, toi aussi, de courtes histoires drôles. Alors, pourquoi ne pas nous en faire parvenir quelques-unes ?

Parmi celles reçues, certaines seront retenues pour publication et l'auteur(e) recevra une surprise.

Participe le plus vite possible et envoie tes histoires drôles à :

CONCOURS HISTOIRES DRÔLES
Les éditions Héritage inc.
300, rue Arran
Saint-Lambert (Québec)
J4R 1K5

Nous avons hâte de te lire !

Payette & Simms inc.

Achevé d'imprimer en novembre 1998 sur les presses de
Payette & Simms inc. à Saint-Lambert (Québec)